HEKSENNEUS

Guy Didelez

Heksenneus

met tekeningen van Harmen van Straaten

Clavis

Guy Didelez
Heksenneus
© 2007 Clavis Uitgeverij, Hasselt – Amsterdam
Illustraties: Harmen van Straaten
ISBN 978 90 5933 0993
D/2007/4124/097
NUR 282

Dit boek is gedrukt op papier met een certificaat
van de Forest Stewardship Council,
die verantwoord bosbeheer stimuleert.

www.clavis.be
www.clavisbooks.nl
www.guydidelez.be

1

Het is juli en het is heet, heel heet. Als een in twee gesneden bloedappel hangt de zon in de strakblauwe lucht. Geen zuchtje wind brengt verkoeling. Zelfs de muggen vinden het te warm om te steken.

In het heksendorp zoekt iedereen de schaduw op. De meeste heksen hebben de flapdeurtjes van hun heksenhuizen opengezet en ze liggen in hun ondergoed met hun wrattige tenen in de lucht van een middagdutje te genieten.

Maar middagdutjes zijn niet aan Trezebelle, Roos Netelroos, Lelijke Lura en Sybille met de Dikke Billen besteed. Zij slenteren door het oververhitte dorp op zoek naar wat verfrissing.

'Misschien kunnen we met z'n allen in een koelkast kruipen?' stelt Lelijke Lura voor.

'Te klein,' weet Sybille met de Dikke Billen. 'Ik heb het net thuis geprobeerd, maar zelfs op m'n dooie eentje kon ik er niet in.'

Lelijke Lura kijkt naar de stevige billen van Sybille en dringt niet langer aan. Gelukkig heeft Roos Netelroos al een ander idee.

'We gaan zwemmen! En we proberen zo lang mogelijk

kopje-onder te blijven! Dan koelen mijn wangzakken wat af!'

Lelijke Lura reageert meteen enthousiast, maar Sybille is niet overtuigd. 'Van zwemmen word je zo nat ...'

Ook Trezebelle schudt haar hoofd. In tegenstelling tot de andere heksen van het kleine heksendorp waar zij woont, is Trezebelle als een bloedmooi meisje geboren. Een schattige baby met een wipneusje, een zacht velletje en helderblauwe ogen ...

Ze ziet er dan ook heel anders uit dan de andere scharminkels van haar dorp. Die hebben kromme neuzen, rotte tanden,

lodderogen, wangzakken, steenpuisten, flaporen, bloemkool-
knieën en nog meer van dat fraais. Er zijn er die maar een paar
van die eigenschappen hebben, maar anderen, de gelukzakken,
hebben ze allemaal. Zij worden wel eens jaloers nagekeken,
want een heks is pas een echte heks als ze spuuglelijk is.

Precies omdat Trezebelle zo'n buitenbeentje is, doet ze altijd en overal haar best zich heel heksig te gedragen. Daarom
zet ze elke ochtend een valse heksenneus over haar gewone
neus. Dan ziet haar neus er even krom en puistig uit als de neuzen van haar vriendinnetjes. Maar het gevolg is wel dat ze liever
niet kopje-onder gaat. Stel je voor dat het ding op haar snoet
als een doorweekte wrattenkoek naar beneden blubbert. Nee,
dat risico neemt ze liever niet.

'Wat doen we dan?' blaast Lelijke Lura. 'Ik blijf hier niet in die
hitte rondlopen, zeker weten!'

'Een bezemtochtje?' probeert Trezebelle. 'Als we hoog genoeg vliegen, komen we vast in koudere luchtlagen terecht.'

'Onmogelijk!' reageert Sybille. 'Mijn bezem wordt hersteld.'

'Stuk?'

'Nog niet. Maar het kan er van komen. Toen ik vorige week
landde, kraakte het hout vervaarlijk. Mams vertrouwt het zaakje niet meer. Ze zegt dat mijn billen hoe langer hoe dikker
worden. Daarom dus ...'

'Hoe zullen ze die bezem herstellen?' wil Roos weten.

'Aan elke kant een beugel. Een in een felle kleur. Fluogroen
of kanariegeel, of appelblauwzeegroen met roze stipjes.'

7

'Gaaf!' vindt Trezebelle. 'Zo'n blitse bezem wil ik ook.'

Lelijke Lura vindt al die geweigerde afkoelingsvoorstellen maar niks. Ze laat zich pardoes aan de kant van de weg neervallen. In een van de weinige schaduwvlekken die het dorp rijk is.

Puffend volgen de anderen haar voorbeeld.

'Hèhè, hier is het iets beter ...' zucht Sybille die met de rug van haar hand het zweet van het voorhoofd wist.

Roos heeft andere interesses. Ze kijkt naar wat de schaduwvlek vormt. Het is een groot reclamebord met daarop de aankondiging van de Hekspo, die binnenkort in het heksendorp wordt gehouden.

'Hoe lang staan die borden hier al?'

Lelijke Lura fronst nadenkend haar wenkbrauwen.

'Al voordat ik de lotto won. Toen een van die borden tijdens een storm wegvloog, werden we bijna onthoofd*.'

'Wat is een *Hekspo*?' vraagt Sybille.

Trezebelle weet het antwoord. Nog niet zo lang geleden heeft ze er met haar moeder over gesproken.

'*Hekspo* is de afkorting van *hekspositie*,' legt ze uit. 'Een tentoonstelling. Maar in dit geval is het een heel speciale hekspositie. Een wereldtentoonstelling. We hebben dat afgekeken van de mensenwereld. Alleen noemen ze zo'n expositie daar een *Expo*, geen *Hekspo*. Daar komen miljoenen mensen naartoe.'

'Wat is er dan te zien?' wil Roos weten.

'De nieuwste ontwikkelingen op het gebied van wetenschap en technologie.'

8

'Klinkt moeilijk,' zucht Sybille.

'Maar dat is het niet. We laten het heksenpubliek gewoon alle nieuwe ontdekkingen zien. Turbobezems op elektri-
citeit, een hekspressoapparaat dat paddenkwijl brouwt, een
magnetron die groot genoeg is voor een heksenketel, zodat
die in een mum van tijd wordt opgewarmd ...'

'Interessant!' vindt Lelijke Lura. 'Maar waar worden al
die dingen getoond? Onze hutjes zijn toch veel te klein?'

'In de mensenwereld hebben ze daar speciale gebouwen

voor,' weet Trezebelle. 'Paviljoenen. Wij houden het op tenten. Alle heksen die willen meedoen, huren allemaal een tent waarin ze laten zien wat er in hun dorp werd uitgevonden.'

'Waar komen die heksen dan vandaan? Van over de hele wereld?' Lelijke Lura klinkt of ze het nauwelijks kan geloven.

'Dat is de bedoeling ... Witte heksen en zwarte heksen, oosterse heksen met spleetoogjes ... Misschien zijn er zelfs wel groene heksen uit Groenland of gele heksen uit Geel. Omdat al die heksen ook onderdak moeten krijgen, zullen ze in onze hutjes slapen. Fantastisch toch! Al die vriendinnen uit al die landen!'

'Waar wachten we dan nog op?' vraagt Roos. 'Die borden staan hier al zo lang en die Hekspo schiet maar niet op.'

'Er moet eerst nog een blikvanger komen. Een gebouw dat zo fantastisch is dat iedereen het wil zien. Bijvoorbeeld iets dat op de Eifeltoren lijkt. Of op het Atomium!'

'Het wat?'

'Het Atomium! Een heel raar gebouw met negen gigantische bollen die door enorme buizen verbonden zijn.'

'Negen bollen!' fluistert Sybille ontzet. 'Doe dat op een ijsje en je hoort mij niet meer!'

'Ze hebben dat Atomium al in 1958 gebouwd!' weet Trezebelle. 'Maar het is zo speciaal dat er nog altijd mensen van over de hele wereld naar komen kijken!'

'Formidabel!' vindt Roos. 'En zo'n blikvanger moeten wij dus maken?'

'Dat is de bedoeling! In dat geval is het succes verzekerd. Maar er is een probleem ...'

Trezebelle wrijft ernstig met haar duim over haar wijsvinger. Vreemd. Geen van de andere heksen heeft haar ooit in haar neus zien peuteren.

'Geld! Zo'n gebouw kost heel veel geld.'

'Wij hebben geen geld nodig. We kunnen toveren!' glundert Lelijke Lura. Na het winnen van de lotto weet ze daar alles van.

'We kunnen niet alles toveren!' antwoordt Trezebelle. 'En zeker geen dingen die niet bestaan. Daar zijn geen toverformules voor.'

Logisch natuurlijk. Maar Lelijke Lura maakt er geen probleem van. 'Dan bedenken we iets waar wel een toverformule voor bestaat!'

Trezebelle zucht.

'Niet zo eenvoudig. Mama vertelde me dat Sefa Bubbels en de schooljuf zich daar al maanden het heksenhoofd over breken. Ze komen er samen niet uit.'

'Dat schiet niet op!' vindt Sybille met de Dikke Billen.

Maar kijk, alsof de toverkol er de hand in heeft, komt op dat ogenblik Fiete Kwik aangefietst. Ze zet haar fiets tegen een lantaarnpaal, haalt uit de fietstassen achterop een opgerold papier, wat behangsellijm en een verfborstel. Ze stapt naar het paneel met de aankondiging van de Hekspo. Zonder een woord uitleg ontrolt ze het papier, plakt het over de aankondiging, stapt weer naar haar fiets, steekt alles weer in de fietstassen en vervolgt fluitend haar weg. 'Wat zullen we nu krijgen?' mompelt Lelijke Lura stomverbaasd. Ondanks de hitte staat ze op en loopt naar het opgeplakte papier. Plechtig leest ze voor: 'Vanavond. Op het dorpsplein. Grote vergadering over de Hekspo. In aanwezigheid van Rupert Bernard Leopold Achiel Adrienne Svetlana Terminus van den Toren, hekspert in de hekspologie.'

'Wat nou weer ...' reageert Trezebelle stomverbaasd. 'Daar heeft mams me niks van verteld.'

'Misschien is die beslissing nog maar net genomen,' oppert Roos. 'In elk geval ... daar moeten we bij zijn! Een hekspert in de hekspologie. Als die geen sensationele blikvanger kan bedenken, weet ik het ook niet meer!'

Maar Trezebelle, die ondertussen ook naar het aanplakbiljet is gelopen, vertrouwt het zaakje niet.

'Rupert Bernard Leopold Achiel Adrienne Svetlana Terminus van den Toren,' herhaalt ze wat ongelovig. 'Iemand die zoveel voornamen gebruikt, moet zichzelf vast heel belangrijk vinden ...'

'Ik zou het anders wel tof vinden: Sybille Zenobia Theofiel Hélène Boudewijn Ramses Magdalena met de Dikke Billen! Klinkt toch wel héél indrukwekkend, vind ik.'

Trezebelle is niet overtuigd. Iets zegt haar dat ze maar beter voorzichtig kan zijn ...

2

Op het grote dorpsplein heerst er die avond een drukte van belang. Vanuit de wijde omgeving komen de heksen toegestroomd. Ze hebben allemaal een stinkzwam met zich meegebracht waarop ze zich neervlijen. Dat zit gewoon veel lekkerder dan met je bips op de grond.

Achteraan is een groot podium opgesteld. Daarop staat een tafel met drie naamkaartjes: twee kleine en één groot: *Sefa Bubbels, de heksenjuf* en *Rupert Bernard Leopold Achiel Adrienne Svetlana Terminus Van den Toren.*

Hoewel het minder heet is dan in de loop van de dag, is het nog altijd vrij zwoel. Misschien heeft ook de aanwezigheid van Rupert daar iets mee te maken. In het heksendorp krijgen veel heksen het tropisch warm als ze nog maar aan een man dénken. En als het dan nog een exemplaar met zo'n welluidende naam is, slaan heel wat heksenfantasieën op hol. Zodra de gastspreker het podium betreedt, stroomt een golf van opwinding door het publiek ...

'Ooooooooh!'

Nu ja, Rupert met al zijn tussennamen, mag inderdaad gezien worden. Hij is lang en slank, heeft kort haar en draagt een onberispelijk maatpak.

Hij glimlacht zelfverzekerd naar het publiek en neemt plaats op de stoel die in het midden staat. Links van hem gaat Sefa Bubbels zitten, rechts de heksenjuf. Elke deelnemer aan het gesprek heeft een grote metalen buis voor zich liggen, die als luidspreker dienst doet. Snel zet Potige Petra nog drie glaasjes paddenkwijl neer. Om de stembanden te smeren.

Trezebelle is jaloers. Paddenkwijl verdorie ... Ze zou er heel wat voor over hebben om nu met Rupert van plaats te ruilen om zelf van het godendrankje te genieten.

Tijd om erbij stil te staan, heeft ze niet. Sefa Bubbels heeft de spreekbuis al voor haar mond gezet en toetert er op los.

'Verachte Heksen. Veeg alle oorslijm uit jullie flappers en luister aandachtig naar wat hier vanavond gezegd wordt. We moeten namelijk snel een oplossing vinden voor een probleem dat al een hele tijd speelt: de organisatie van de Hekspo.'

Trezebelle ziet hoe een oude heks schuin voor haar met haar knokige wijsvinger even in haar oor prikt en die vinger daarna aan haar heksenhoed schoonveegt. Trezebelle spant zich in om zich niet te laten afleiden. Ze wil geen woord missen van wat Sefa zegt.

'Zoals jullie ongetwijfeld weten, werd ons heksendorp lange tijd geleden uitverkoren tot de plek waar de volgende Hekspo plaatsvindt. Daar zijn we natuurlijk ongelooflijk trots op. Bij de organisatie van zo'n wereldtentoonstelling komt echter heel wat kijken. Tenten opzetten, eten en drinken verzorgen, deelnemers aanschrijven en opvangen. Toch lijkt ons dat alles

geen probleem. Wie ons dorp en zijn gastvrijheid kent, weet
dat alle heksen hun beste heksenbeentje zullen voorzetten om
het internationale gezelschap zo goed mogelijk te ontvangen.'

Goedkeurend gemompel. Sybille met de Dikke Billen
roept dat ze haar bed graag ter beschikking stelt. Daar kunnen

gemakkelijk vier normale heksen in. Sefa Bubbels glimlacht even, maar gaat er verder niet op in.

'Toch zijn er nog een aantal vragen waarop wij snel een antwoord moeten zoeken. Het eerste probleem is de slogan ...'

'De wat?' vraagt een klein heksenmeisje dat links van Trezebelle zit.

'De slagzin' fluistert haar heksenmoeder snel. 'Een krachtige manier om te zeggen waarover de Hekspo gaat.'

'We weten allemaal dat wetenschap en techniek tijdens zo'n Hekspo heel belangrijk zijn,' gaat Sefa Bubbels alweer verder, 'maar we mogen de kans niet laten liggen om ook andere klemtonen te leggen. Daarom kozen wij voor een heel speciale slogan: *De Hekspo van de Frisse Neus!*'

Verbazing bij het publiek. Een oudere heks begint luidruchtig haar neus te snuiten. Alsof ze prompt een poging doet om haar neus zo fris mogelijk te houden.

'Als voorzitster van de tweekoppige werkgroep vond ik dat een mooie slagzin,' gaat Sefa Bubbels verder. 'Heksen zijn immers herkenbaar aan hun neus. Dat is een van de dingen die hen van de mensen onderscheidt. Maar er is natuurlijk méér. Heksen die bezig zijn met wetenschap en techniek, mogen zich vooral niet opsluiten in hun eigen wereld. Wetenschappers mogen geen bleke schetenwappers worden, maar moeten om zich heen leren kijken. Ze moeten dingen uitvinden die nuttig zijn voor de heksenmaatschappij. Ze moeten naar buiten durven komen en zien wat er echt in de heksenwereld leeft. Ze

17

moeten ... jawel hoor ... het dus aandurven om een frisse neus te halen.'

Applaus. Knap gevonden, vinden de meeste heksen.

'Maar de frisse neuzen slaan natuurlijk ook op het publiek,' gaat Sefa vol enthousiasme verder. Na het applaus van daarnet, voelt ze zich zelfverzekerd. 'Ook het publiek moet een frisse neus durven halen. Waar ook ter wereld de heksen wonen, ze moeten allemaal naar ons heksendorp komen om onze hekspositie te bewonderen!'

Daverend applaus. Iedereen is het met Sefa eens. *De Hekspo van de Frisse Neus* is inderdaad een mooie slogan die perfect verwoordt waar de heksen voor staan.

Sefa is tevreden. Nu ze het publiek op haar hand heeft, wordt het misschien wat makkelijker om ook over dat andere te spreken. Over datgene waarover al zoveel uren vruchteloos vergaderd werd ...

'Jammer genoeg stelt er zich ook een probleem waar de werkgroep tot nu toe geen oplossing voor gevonden heeft. Dat van de blikvanger. Een gebouw dat zo apart is en dat zo tot de verbeelding spreekt dat alle heksen uit alle dorpen overal ter wereld toestromen om het te bewonderen. En precies omdat de werkgroep geen oplossing voor dit probleem vond, zijn we hulp gaan inroepen in de buitenwereld. We hebben dan ook een echte hekspert aangetrokken. Een hekspert in de hekspologie. Niemand minder dan de heer Rupert Bernard Leopo...'

Nog voor Sefa Bubbels alle voornamen kan opsommen,

staat Zware Zulma op. Met haar stem als een torenklok galmt ze er op los: 'Hoe hebben jullie die hekspert aangetrokken? Als hij uit de buitenwereld komt, zal hij vast niet gratis werken ...'

Zware Zulma kan het wantrouwen in haar stem niet verbergen. Ze wil het ook niet. Zware Zulma verafschuwt alles wat uit de buitenwereld komt, dat weet iedereen.

Sefa Bubbels moet even slikken.

'Klopt!' geeft ze kleintjes toe. 'We hebben al het geld dat we nodig hebben om dingen in de buitenwereld te kopen in een grote kist gedaan. Die kist hebben we gegeven aan Rupert Bernard Leo...'

'Ach, laat al die voornamen toch vallen!' onderbreekt Rupert die opveert en de spreekbuis tegen zijn mond drukt. 'De eerste letters zijn al meer dan genoeg. Rupert Bé El Aa Aa Es Té Van den Toren ...'

'Rupert Blaast van den Toren,' herhaalt Trezebelle die voor zichzelf alle letters verbindt. 'Volgens mij blaast hij zelfs heel hoog van de toren ...'

Dat is waar. Rupert, die met elke zin zo hevig met zijn armen beweegt dat het lijkt of hij voortdurend zijn evenwicht dreigt te verliezen, begint zich inmiddels aan het publiek voor te stellen.

'Hoewel ik niet van al die ronkende titels houd, moet ik toegeven dat Sefa Bubbels gelijk heeft als ze mij voorstelt als een Hekspert in de Hekspologie. Ik heb inderdaad al heel wat ervaring opgedaan tijdens de vorige Hekspo, die plaatsvond in de Franse stad Heks-en-Provence.'

Gemompel. Iedereen heeft natuurlijk al gehoord over de Hekspo in Heks-en-Provence. Toch zijn er ook heel wat negatieve berichten over die Hekspo tot in het kleine heksendorp doorgesijpeld. Maar Rupert doet alsof hij daar niets vanaf weet.

'Die Hekspo kende een overdonderend succes. En dat had dan weer veel, zoniet alles te maken met de blikvanger die *ik* voor die hekspositie ontworpen had.'

Tot haar verbazing ziet Trezebelle hoe Rupert met zijn gebalde hand op zijn borst klopt wanneer hij het woord 'ik' uitspreekt. Die gladgeschoren gladjanus heeft niet bepaald last van een minderwaardigheidscomplex ...

'Ik ben namelijk op het schitterende idee gekomen om de Eifeltoren – het symbool voor Frankrijk – in Heks-en-Provence na te bouwen. Maar omdat het hier een heksendorp betrof, mocht het natuurlijk geen gewone kopie zijn. Daarom koos ik voor een "Twijfeltoren", een wat kleinere versie van de Eifeltoren die ik op zijn kop zette, de piek naar beneden en het voetstuk omhoog.'

Het lijkt nu of er een schok door het publiek gaat en alle heksen met en door elkaar beginnen te praten.

'Zo'n omgekeerde Eifeltoren kan nooit blijven staan. Vroeg of laat moet die toch vallen?'

En dat is precies wat Zware Zulma ook al gehoord had. Ze veert opnieuw op, zet haar handen voor haar mond en galmt boven alle drukte uit.

'Uw toren is gevallen, meneer Van den Toren! Het stond in alle kranten. Hij is eerst weggezakt en dan omgevallen. Voor een hekspert in de hekspologie is dat niet meteen iets om trots op te zijn!'

Hoewel Zware Zulma zo hard roept dat Trezebelles oren er pijn van doen, lijkt Rupert totaal niet aangeslagen. Hij glimlacht alleen.

'Natuurlijk, mevrouw de heks. Natuurlijk is hij omgevallen! Dat was juist het geniale ... Want wanneer is de toren omgevallen? Weet u dat?'

Zware Zulma haalt haar zware schouders op. Al die details heeft ze natuurlijk niet onthouden.

'De Twijfeltoren is drie dagen voor het afsluiten van de Hekspo gevallen! Heel veel heksen hadden de tentoonstelling op dat ogenblik al bezocht. Toen het bericht kwam dat de toren tegen de vlakte lag, wilden ze die ingestorte toren ook nog eens met eigen ogen zien! Ze kwamen dus terug en de Hekspo kreeg veel meer bezoekers dan er verwacht werd. Als dát geen geslaagde stunt is, weet ik het ook niet meer ...'

Met een zelfgenoegzame grijns op zijn lippen kijkt Rupert in het rond. En ja hoor, hier en daar weerklinkt zowaar een schuchter applaus. Dat doet hem goed. Hij recht de al zo lange rug, legt de spreekbuis even neer, glimlacht minzaam en beweegt zijn vogelschrikarmen langzaam op en neer alsof hij wil zeggen: zo is het wel genoeg. Ik wil graag nóg wat vertellen.

'Een maquette!' roept hij zodra het geluid is uitgestorven. 'Ik liet al een maquette maken van de blikvanger die we hier in jullie dorp zullen bouwen!'

22

Hij klapt ongeduldig in zijn handen. Het volgende ogenblik komen er twee meisjes in strakblauwe jurkjes toegelopen met een soort draagberrie tussen hen in. Het zijn duidelijk geen heksen, daarvoor zijn hun neuzen niet krom genoeg en hebben ze te weinig wratten.

Snel leggen ze de draagberrie bovenop de tafel en gaan er weer vandoor. Nu pas ziet Trezebelle dat er een wit laken over ligt. Rupert pakt het bij een puntje vast.

'Wie wil er weten welk kunstwerk heksen uit de hele wereld naar jullie heksendorp zal lokken?'

In plaats van het doek meteen weg te trekken, houdt hij een hand aan zijn oor. Hij blijft wachten tot het rumoer toeneemt en het hele publiek volmondig 'ik' begint te schreeuwen. Dan – als een goochelaar die op het punt staat een witte duif tevoorschijn te toveren – trekt hij het laken met een theatraal gebaar in de lucht.

'En ziehier ... Het Fantomium!'

Verbijstering alom! Een fa... fa... fantomium?

Hoewel ze een eindje van het podium zit, kan Trezebelle in het licht van de ondergaande zon heel duidelijk het schaalmodel zien. Het ziet er een beetje als een miniversie van het Atomium uit, met negen bollen die door middel van buizen verbonden zijn. Maar wat heel raar is ... het zijn geen metalen bollen! Het zijn feloranje pompoenen waarin niet alleen ogen maar ook een getande mond werd uitgekerfd. Als halloweengezichten grijnzen ze in de ondergaande zon.

'Geen Atomium maar een Fantomium!' herhaalt Rupert die nu opnieuw de spreekbuis voor zijn mond heeft gezet. 'Een gruwelijk spookhuis met negen halloweengezichten die in de nacht grijnzen.'

Trezebelle hoort hoe in de verte een klein heksje begint te huilen. Verder is het ijzig stil.

'Fantastisch hè! Geniaal gewoon. Want jullie hebben natuurlijk nog niet alles gezien!'

Nu pas merkt Trezebelle dat er links op de draagberrie een tweede, wat kleiner, lakentje ligt. Met een brede beweging trekt Rupert dat op zijn beurt weg. Een bedieningspaneel wordt zichtbaar. Rupert drukt op een knopje en kijk ... in een van de bollen brandt er nu een licht dat het oranje gezicht alleen nog huiveringwekkender maakt. En als Rupert op een tweede knopje duwt, gaat de mond langzaam open en dicht en klinkt er een bloedstollend hyenagehuil over het dorpsplein.

Meer en meer heksenkinderen beginnen te huilen, maar Rupert hoort het niet. Hij lijkt helemaal door het dolle heen.

'Zo heb ik negen verschillende geluiden bedacht, het ene nog enger dan het andere. Ik ben er zeker van dat heel wat bezoekers het in hun heksenbroek zullen doen van de schrik ... Ik kan elke halloweenkop trouwens ook verschillend belichten. Met een paars, groen of zelfs zilveren licht. Ik moet nog eens onderzoeken op welke manier dit Fantomium het meest angstaanjagend wordt ...'

Zijn lach krijgt nu iets duivels. De heksen kijken elkaar

sprakeloos aan, te overdonderd om te reageren.

Tot de heksenjuf de spreekbuis neemt. In het licht van de ondergaande zon ziet ze er met haar scherpe gezicht zelf een beetje als een ingevallen pompoen uit. Of heeft die kleur niks met de zon te maken en is ze gewoon heel boos om wat Rupert allemaal vertelt?

'Is ... Is dit wat we willen? Moet elke bezoeker van het heksendorp meteen ook de stuipen op het lijf krijgen? Wat zullen heksen die een hele wereldreis gemaakt hebben, denken als ze met dit verschrikkelijke gedrocht in aanraking komen? En hoe zullen hun bloedjes van heksenkinderen reageren? Misschien staan ze wel te trillen op hun heksenbeentjes!'

'Laat ze trillen!' roept Rupert terug. 'Wat de bezoekers denken, kan me niet schelen! Als ze maar komen. En ze zullen komen, zoveel is zeker. Mensen houden nu eenmaal van sensatie.'

'Mensen misschien wel. Maar geldt dat ook voor heksen?'

'Ze zullen komen!' houdt Rupert vol. 'Iedereen zal het hebben over die spookverschijningen met hun rare geluiden!"

De heksenjuf wordt nu nog roder. Alsof er ook in haar hoofd van woede een licht begint te branden.

'Wat hebben wij met spoken? Wij zijn een *heksen*dorp. Uw voorstel zit er totaal naast! We mogen de heksenkinderen niet bang maken. Ook zij moeten zich welkom voelen in ons dorp!'

'Kinderen houden van spoken en spooktoestanden! Hoe gruwelijker, hoe liever. Ik bouw trouwens niet zomaar een

Fantomium ... Neen, ik verlicht het, ik laat het bewegen, ik laat het spreken. Ik zorg dat het tot leven komt! Als dit geen toepassing van wetenschap en techniek is, weet ik het ook niet meer!'

'We gingen voor frisse neuzen!' sputtert de heksenjuf tegen. 'We nodigden de wetenschappers uit om rond te kijken en dingen te ontwerpen die nuttig waren voor de heksenmaatschappij. Dat kan men van uw gedrocht niet zeggen! Het is alleen maar bedoeld om sensatie te wekken!'

'Het is wèl nuttig. Het zal bezoekers lokken!' houdt Rupert vol. 'Trouwens ... jullie kunnen nu niet meer terug!'

'O nee?'

Sefa Bubbels heeft een dreigende ondertoon in haar stem. Tot nu toe heeft ze zich niet met het gesprek bemoeid, maar nu Rupert hen onder druk wil zetten, laat ze wel van zich horen.

'Al het geld dat jullie me gegeven hebben is al op!' legt Rupert uit. 'Wat wil je? Eerst zijn we met een hele groep samengekomen om uit te dokteren wat we allemaal konden doen. Toen hebben we die maquette gemaakt, en daarna het licht- en klankorgel ... Zoiets kost veel geld! Jullie kunnen dus niet meer terug. Jullie kunnen nu alleen maar doorgaan en verder investeren, zodat dit project uiteindelijk winstgevend wordt.'

Er valt een stilte. Rupert blaast nu zo hoog van de toren dat hij iedereen lijkt weg te blazen.

'Maar als ons geld nu al op is ... Hoe gaan we dan het gebouw zelf ooit nog kunnen betalen?' roept Trezebelles mama vertwijfeld vanuit het publiek.

'Goeie vraag!' vindt Rupert. 'Heel goeie vraag, want het echte project is natuurlijk oneindig veel duurder dan de maquette. Honderd, misschien wel tweehonderd keer zoveel. Logisch toch, als je bedenkt wat er allemaal bij komt kijken ...'

Sefa Bubbels moet ervan slikken.

'Tweehonderd keer zo duur?'

'Als er geen onverwachte moeilijkheden opduiken,' glimlacht Rupert. 'Als je pech hebt, ligt de uiteindelijke prijs nóg een stuk hoger!'

'Dat kunnen we nooit betalen!' zucht Sefa Bubbels.

'Hoe komen we hieruit?' vraagt de schooljuf.

'De bank!' zegt Rupert. 'Die lenen geld als je ze iets in de plaats geeft dat ze kunnen verkopen indien je hen niet terug kunt betalen.'

'Wat dan?' vraagt Sefa. 'Wat kunnen we hen in de plaats geven?'

'Het dorp!' grijnst Rupert. 'Al die heksenhuisjes samen zijn veel geld waard. Als je de bank het dorp als onderpand geeft, kun je vast genoeg geld lenen ...'

'En als het project flopt?' wil de heksenjuf weten.

'Dan hebben jullie pech gehad. Dan zijn jullie het hele dorp kwijt. Maar geloof me: mijn project zal niet floppen. Ik ben niet voor niets een hekspert in de hekspologie. Als jullie doen wat ik zeg, zullen de heksen van over de hele wereld toestromen en zullen jullie niet alleen het beroemdste maar ook het rijkste heksendorp van de hele wereld worden. Reken zelf maar na. Al die duizenden heksen zullen hier moeten eten en drinken ...'

'Dat willen we hen gratis aanbieden!'

'Laat ze dan een toegangsprijs betalen. Dat doen ze bij elke Hekspo. Ik zorg er voor dat jullie hoe dan ook uit de kosten komen.'

'En als we niet meedoen?' Sefa Bubbels fronst nadenkend haar dikke wenkbrauwen.

'Dan ben je alles kwijt wat je aan mij betaald hebt. En wat veel erger is ... dan ben je terug bij nul. Dan moet je weer in je dooie eentje een ander project uit de grond stampen. Iets waar men naar komt kijken, welteverstaan.'

'En dat konden we niet,' zegt de heksenjuf vertwijfeld. 'Daarvoor hadden we hulp van buitenaf nodig!'

'Juist!' glundert Rupert. 'Snap je nu wat ik bedoel? Er is geen weg terug. Het is dit of niks. Als je 't mij vraagt, *is* er zelfs geen keuze ...'

3

Die avond kan Trezebelle in haar heksenbed de slaap niet vatten. Het is ook veel te warm in haar kamer. Ze heeft haar raam wagenwijd opengezet en nog plakt haar pyjama aan haar lijf. Ze kan geen twee minuten blijven liggen. Ligt ze op haar buik dan wil ze op haar rug en als ze op haar rug ligt, wil ze weer iets anders.

Kreunend draait ze zich - voor de zoveelste keer al - op haar linkerzij. Op die manier kan ze de maan zien. Die staat groot en wit aan de hemel. Hij verlicht haar hele kamer. Ook de valse heksenneus die Trezebelle zoals gewoonlijk op het nachtkastje naast haar bed heeft gezet. Hoewel ze het altijd wat grappig vindt - die grote heksenneus naast haar bed - merkt ze hem nu nauwelijks op. Trezebelle heeft andere problemen aan haar hoofd. De voorbije vergadering op het dorpsplein heeft diepe indruk op haar gemaakt. Hoe kunnen de heksen zich ooit uit deze situatie redden?

Als zij het voor het zeggen had, zou Trezebelle de samenwerking met Rupert stopzetten. Ze moet die gladjanus niet. Het zou haar niets verwonderen als hij de kosten voor het maken van de maquette opzettelijk had opgedreven, zodat de heksen nu geen kant meer uit kunnen.

Ze snapt trouwens ook niet dat Sefa Bubbels en de heksenjuf met die opdracht naar Rupert zijn gestapt. Trezebelle heeft geleerd dat contacten met de buitenwereld vaak tot extra problemen leiden. Veel mensen moeten de heksen niet, gewoon omdat ze er anders uitzien en andere levensgewoonten hebben. En als mensen toch met heksen in zee gaan, is het meestal omdat ze hopen er rijker van te worden. Het lijkt of alles in die mensenwereld om geld draait.

Maar wat gebeurd is, is gebeurd. Sefa Bubbels en de heksenjuf hébben Rupert ingeschakeld en hij hééft een blikvanger bedacht. Een Fantomium verdorie ... Ze zijn toch geen spoken! Er moet dus dringend iets anders bedacht worden. Een gebouw dat zo heksig is dat elke heks, waar ook ter wereld, het wil zien! En die blikvanger moet dan ook nog zo weinig mogelijk kosten ...

Trezebelle zucht. Ze kwam er niet uit. Ze draait zich terug op haar rechterzij en probeert zich het einde van de vergadering voor de geest te halen. Het leek wel of Rupert genoot van de stilte die er na zijn onheilspellende woorden gevallen was: *Als je 't mij vraagt is er zelfs geen keuze ...*

Na vele lange seconden - het leken wel minuten - had hij opnieuw de spreekbuis tegen zijn mond gedrukt. 'Omdat ik geen tegenvoorstellen hoor, vraag ik hierbij de volledige vrijheid én voldoende geld om alles tot een goed einde te brengen ...'

Het werd toen zo mogelijk nog stiller in het publiek. Alsof er een bom was gevallen en iedereen sprakeloos naar de schade stond te kijken. Toen was er een voorzichtig gefluister begonnen. Eerst zacht, toen harder en met een ondertoon van verontwaardiging. Tot Sefa Bubbels op haar beurt de spreekbuis tegen haar mond had gezet.

'Wij willen bedenktijd. Wij willen alles even laten bezinken. Dan pas zullen wij definitief beslissen.'

'Bedenktijd?' Er was een spottend lachje op Ruperts lippen verschenen. 'Die is er niet meer. We zijn veel te laat met dit project gestart. Weet je hoeveel tijd het kost om zo'n Fantomium te bouwen?'

'En toch willen we bedenktijd. Vierentwintig uur. Dan zullen we definitief de knoop doorhakken.'

'Kan niet. Ik heb alle tijd nodig voor de voorbereidingen en het bouwen. Tot zonsopgang kunnen jullie krijgen. Tot zonsopgang en geen minuut meer. Als jullie dan niet met mij in zee gaan, wordt dit de eerste Hekspo zonder blikvanger!'

Tja, dat was pas echt druk op de heksenketel ...

Omdat ze geen andere mogelijkheid zag, had Sefa Bubbels dan maar toegegeven: 'Oké, tot zonsopgang, maar ook geen minuut minder.'

De heksen waren zo van de kaart dat ze in alle stilte naar huis gingen. Zwijgend namen ze zich voor er eens een paar uur over te slapen. Misschien bedachten ze in hun dromen wel nieuwe ideeën.

Maar Trezebelle gelooft niet dat ideeën al slapend ontstaan.

Ze weet dat elke minuut een verloren minuut is. Ze moet wakker blijven en een blikvanger bedenken die zo buitengewoon is dat hij alle heksen van over de hele wereld naar hun dorp lokt. Maar welke blikvanger dan?

Even denkt ze eraan om met z'n allen een geweldige put te graven. De grootste put ooit. Zo'n put hoeft niet duur te zijn. Je geeft iedereen gewoon een spade en ... Hoewel ... Wat doe je met het uitgegraven zand? Al die bergen mogen de toegang tot de Hekspo niet bemoeilijken. Het zand moet dus afgevoerd worden. Er moeten vrachtwagens ingehuurd worden. Die komen natuurlijk uit de buitenwereld, want Trezebelle kent geen heksen die met vrachtwagens rijden ...

Bovendien is een put ook geen 'bouwwerk'. En het heeft al helemaal niks met de slogan van hun Hekspo te maken. Straks denken de bezoekers nog dat ze met z'n allen in de put zitten ...

Geen put dus. Wat dan?

Er duiken nu de vreemdste bouwwerken in Trezebelles verbeelding op. Een koepelvormig gebouw in de vorm van een enorm achterwerk met bovenop een paar puisten. Een stel rotte tanden, oneindig vergroot zodat ze een indrukwekkende rotsformatie vormen ...

Nee, dit is echt niet wat ze zoekt.

Met een zucht van ergernis draait ze zich opnieuw op haar linkerzij. Misschien moet ze haar ogen maar sluiten. Misschien hebben de andere heksen gelijk en zullen de ideeën al slapend wel ko...

Maar wat is dat!?

In het licht van de volle maan ziet Trezebelle haar valse heksenneus op het nachtkastje staan. Nu pas dringen de mogelijkheden tot haar door.

Die vorm ...

Heel heksig.

En de slogan ...

De Hekspo van de Frisse Neus.

Het volgende ogenblik staat ze al naast haar bed. Vlug ....
Een voetbadje ... En een potje gips ... En water ... Water natuurlijk ...

Met de valse neus in haar hand rent ze de trap af naar beneden, de keuken in. Onder het aanrecht vindt ze het voetbadje waarin haar oma elke avond haar eksterogen onderdompelde. En gips is gelukkig ook al geen probleem. Trezebelles moeder heeft EHBO gestudeerd - Eerste Heksenhulp Bij Ongevallen. Zij heeft altijd wel een voorraadje voor het geval dat een heks haar teen zou breken. Nu nog wat water ... Trezebelle kan het zo uit de waterton, achter het heksenhuisje scheppen.

Ze werkt zo snel dat het lijkt alsof haar leven ervan afhangt. In zekere zin is dat ook zo. Als Sefa bij zonsopgang besluit om met Rupert te blijven samenwerken, moet ze het hele heksendorp bij de bank in onderpand geven. Maar wat als het project toch flopt en alle huizen vroeg of laat verkocht worden? Dan komen alle heksen noodgedwongen in de gewone wereld terecht. Dat zou verschrikkelijk zijn!

Koortsachtig werkt Trezebelle verder. Zodra dit af is, moet ze ermee naar haar vriendinnen. Als Lelijke Lura, Sybille en Roos het ook een fantastisch voorstel vinden, moeten ze ...

Wie weet ... Misschien is alles toch nog niet verloren!

4

'Wat ... Wat moeten we daarmee?' hakkelt Sybille met de Dikke Billen. Ze wrijft even in haar ogen en kijkt slaperig van haar ene vriendinnetje naar het andere. Dan keert haar blik weer naar de grote gipsen neus die Trezebelle trots in haar hand houdt.

'Dit wordt onze blikvanger voor de Hekspo!' roept Lelijke Lura enthousiast uit. Ze is nog niet zo lang geleden door Trezebelle gewekt en loopt er toch al klaarwakker bij.

'Een blikvanger?' schudt Sybille verward het hoofd. 'Voor de Hekspo!? Dat ding is toch veel te klein.'

'Hij moet natuurlijk veel groter!' roept Roos. 'Hij moet veertig misschien wel vijftig meter hoog worden ...'

Het dringt allemaal niet zo goed tot Sybille door. Een paar minuten geleden kliefde ze nog op haar bezem-met-blitse-strepen door het dromenluchtruim.

'Trezebelle heeft dat net bedacht!' glundert Lelijke Lura. 'Roos en ik vinden het fantastisch! We gaan ermee naar Sefa Bubbels!'

'Wanneer?'

'Nu meteen. Stante pede. Subito en sito presto! Als het van mij afhing, waren we er al!'

38

Als enig antwoord laat Sybille zich luid gapend wegzakken in haar bed. Maar Roos heeft andere plannen. Met haar lange haren kriebelt ze haar dikste vriendin tussen haar tenen.

'Opstaan, Lelijke Slaapster. We moeten in vliegende vaart weg ...'

Geïrriteerd trekt Sybille opnieuw een oog open. Ze merkt hoe er een flinterdun laagje roos op haar tenen ligt. Als ze Roos haar gang laat gaan, zijn haar tenen straks helemaal wit. Ze hijst zich op aan de steunijzers die in de muur zijn aangebracht en gaat op de rand van het bed zitten.

'Hoe laat is het nu?'

'Kwart over vier.'

'En jullie willen nu naar Sefa Bubbels?'

'Yep! We mogen er geen neushaar over laten groeien!'

Het volgende ogenblik staat Trezebelle al in de deuropening.

'En mijn kleren?' zucht Sybille. 'Ik kan toch niet in mijn nachtpon ...'

'Waarom niet?' grapt Lelijke Lura. 'Misschien vinden de konijnen een wandelende tent wel fijn?'

Tot Trezebelles stomme verbazing brandt er nog licht in het huis van Sefa Bubbels.

'Is ze het vergeten uit te doen?' vraagt Roos.

Niets is minder waar. Als ze de flapdeurtjes opentrappen en het huis inlopen, zit Sefa aan tafel. Ze ziet er heel moe uit. De wallen onder haar ogen zijn zo dik dat het lijkt alsof ze er zand in verstopt heeft. En wat ook al raar is: de hele vloer ligt bezaaid met propjes papier.

Boos kijkt ze de indringers aan. 'Wat komen jullie hier doen?'

Trezebelle laat haar de gipsen neus zien.

'Een reusachtig ... wat zeg ik ... een neusachtig idee!'

Nu pas dringt het tot haar door wat Sefa Bubbels aan het doen is. Op de tafel, vlak voor de heksenleidster, ligt de tekening van een heel bizar gebouw. Het lijkt op een koekoeksklok die op drie poten staat. Als dat de blikvanger van de Hekspo moet worden ...

'We gaan Trezebelles neus nabouwen!' flapt Lura eruit. 'Als blikvanger. Een enorme neus. Misschien wel veertig of vijftig meter hoog.'

Even kijkt Sefa Bubbels sprakeloos voor zich uit. Dan verschijnt er een glimlach om haar lippen.

'Een heksenneus ... Natuurlijk! Dat ik daar zelf niet aan gedacht heb!'

'Het past perfect bij de slogan!' gilt Roos enthousiast. 'De Hekspo van de Frisse Neus! Alle heksen zullen met plezier een frisse neus halen om deze heksenneus te bewonderen!'

'Fantastisch!' Met een brede armzwaai veegt Sefa de tekening van de koekoeksklok van de tafel. 'Hebben jullie verder nog ideeën hoe die heksenneus er uit moet zien?'

'Natuurlijk!' glundert Trezebelle. 'Ik heb alles al uitgedokterd. Je stapt eerst via een soort halletje het linkerneus-

gat in. Die wordt met een tussenschot van het rechterneusgat gescheiden. In die halletje neem je een roltrap die dwars
door het linkerneusgat naar boven gaat.'

'Een roltrap!?' Sefa is zo verbaasd dat haar ogen als twee
pingpongballetjes uitpuilen. Nog even en ze kunnen tafel-
tennis spelen ...

'Fantastisch, hè!' schettert Lelijke Lura. 'Trezebelle heeft
dat allemaal in haar dooie eentje bedacht. Als er één hekspert in de hekspologie bestaat, dan is zij het wel ...'

Trezebelle glimlacht bescheiden. Ze is trots dat Lura haar zo
bejubelt, maar tegelijk maakt het haar wat verlegen.

'Die roltrap brengt je naar het hoogste punt,' gaat ze snel
verder. 'Een glazen platform, bovenop de neuswortel. Het
biedt een prachtig uitzicht over het heksendorp, de hele Hekspo en de wijde omgeving ...'

'En waarom een *glazen* platform?'

'Op die manier sparen we licht uit!' Trezebelle klinkt nu
een beetje als de heksenjuf die uitleg geeft over de vorm van
de etterpuist. 'Het zonlicht valt door dat glazen platform
naar binnen. Het verlicht niet alleen, maar het verwarmt ook.
We kunnen de bezoeksters van onze Hekspo meteen leren
hoe ze zuinig met energie moeten omgaan.'

Sefa Bubbels knikt goedkeurend.

'En hoe ziet die neus er verder uit?'

'Op het platform zijn er twee mogelijkheden. Je kunt
daar een roltrap naar beneden nemen. Die brengt je langs

het rechterneusgat via een tweede hal naar de uitgang. Maar als je het aandurft, kun je ook de glijbaan nemen. Dan suis je langs de buitenkant bliksemsnel omlaag, waar je in opblaaskussens terechtkomt.'

'Klinkt goed!' vindt Sefa Bubbels. 'Klinkt héél héél héél goed. Zo'n heksenneus als blikvanger voor ons heksendorp is een schitterende vondst. Als de heksen komen aanvliegen, kunnen ze hem al van heel ver zien staan. Maar er blijft één probleem ... Wat zal die neus ons kosten?'

'In elk geval veel minder dan een Fantomium. Reken zelf maar uit: negen pompoenkoppen die door metalen buizen verbonden moeten worden. En elk van die pompoenmonden moet dan nog kunnen bewegen ook!'

'Die neus hoeft ook niet speciaal verlicht te worden,' weet Lelijke Lura. 'Een extra spotje zou natuurlijk wel tof zijn, maar er zijn geen negen verschillende kleuren nodig. En met geluidseffecten houden we ons al helemaal niet bezig. Onze heksenneus hoeft niet te niezen, snotteren of sniffelen ...'

'Dan blijven er alleen nog de bouwkosten over,' mompelt Sefa nadenkend.

'We kunnen die neus zelf maken!' reageert Trezebelle snel. 'Voor heksenneuzen, bestaat er toch een toverspreuk. Drie. Twee. Een ...'

Ze maakt een cirkelbeweging met haar hand en perfect gelijktijdig gillen de vier heksenvriendinnen uit volle kracht: 'Fameus, pompeus, affreus .... Ik tover snel een heksenneus.'

En kijk, midden op de tafel verschijnt een heksenneus.
Hij is niet heel groot, maar heeft behoorlijk wat vieze wrat-
ten. Hij ziet er zo vlezig uit dat het lijkt alsof hij zomaar van
een of andere heksensnoet naar beneden is gegleden.
Trots kijken ze Sefa Bubbels aan. Alsof ze willen zeggen:
kijk eens hoe goed we dit gedaan hebben!
Maar Sefa's voorhoofd blijft vol zorgelijke rimpels.
'Jullie toverneus is mooi, maar hij is veel te klein. Als we

hem midden in het veld zetten, ziet niemand hem ooit staan. Hoe toveren we een neus die veertig of misschien wel vijftig meter hoog is?'

'Met het hele dorp samen!' zegt Trezebelle. 'We geven iedereen een spreekbuis en we roepen allemaal zo hard we kunnen. Als er dan nog geen enorme neus verschijnt, weet ik het ook niet meer!'

5

Samen met Sefa trommelen Trezebelle en haar vriendinnen de andere heksen uit hun bed. Dat is niet gemakkelijk. Sommigen slapen zo diep dat roepen alléén niet volstaat. Je moet dan in hun huis binnendringen en keihard aan hun oren trekken. Het duurt dus best een tijdje voor de laatste heks haar gesnurk heeft gestaakt.

Toch staan alle inwoners van het kleine heksendorp nog voor de zon is opgekomen in een cirkel middenin een grote, kale vlakte. Sefa heeft beslist dat de heksenneus daar moet komen. Hij zal met de rest van het heksendorp verbonden worden door middel van nog aan te leggen wandelwegen. Overal langs die wegen komen tenten waarin de verschillende deelnemers hun nieuwste uitvindingen aan het publiek tonen. En natuurlijk moeten er ook spandoeken en ballonnetjes zijn om alles te versieren.

Trezebelle ziet in haar gedachten de bezoekers al door het dorp dwalen! Maar voor ze nog meer kan fantaseren, wordt ze opgeschrikt door de heksenleidster.

'Verachte soortgenoten! Ieder van jullie vraagt zich onge- twijfeld af wat zij op zo'n onmogelijk uur midden in het veld staat te doen. Het antwoord is even simpel als verrassend. We danken dit aan Trezebelle ...'

Een verontwaardigd gemompel klinkt uit de massa op. Sefa Bubbels heeft er duidelijk plezier in. Maar ze wil het plagerijtje natuurlijk ook niet te ver drijven.

'Trezebelle is er immers in haar dooie eentje in geslaagd een blikvanger voor onze Hekspo te bedenken. Ze koos bovendien voor haar eigen heksenneus!'

De boosheid verandert nu in bewondering. Van alle kanten weerklinken verraste kreetjes.

'En daarom heb ik jullie gevraagd om een spreekbuis mee te brengen. We roepen met z'n allen onze neuzentoverspreuk zo hard tot er een enorme neus verschijnt. Op die manier zal dit hekswaardig monument ons veel minder kosten dan het Fantomium dat Rupert Torenblazer voor ons bedacht heeft.'

Terwijl er een oorverdovend applaus opstijgt, komt de heksenjuf naast Sefa staan. Ze heft haar armen hoog in de lucht en wacht op stilte.

'Op mijn teken plaatsen we allemaal de spreekbuis voor onze monden en brullen we zo hard we kunnen. Iedereen klaar? Drie. Twee. Een ...'

'FAMEUS, POMPEUS, AFFREUS ... IK TOVER SNEL EEN HEKSEN-NEUS!'

De toverspreuk schalt zo luid in het rond dat Trezebelle even vreest dat haar oorschelpen zullen barsten. Maar hoe hard de kreet ook klinkt, het eindresultaat valt vies tegen ...

In het midden van de cirkel verschijnt een heksenneus van een kleine meter hoog. Een enorm ding om op je neus mee te slepen, maar als blikvanger voor een heuse hekspo mocht het toch wat meer zijn.

'Willen we het nog eens overdoen?' stelt Sybille met de Dikke Billen voor.

Sefa Bubbels schudt ontgoocheld haar hoofd.

'Dat heeft geen zin. We hebben zo hard mogelijk gebruld. We krijgen nooit een grotere heksenneus bij elkaar geschreeuwd.'

Er valt een pijnlijke stilte tot ...

Wat is dat!?

Als op een afgesproken teken kijken de heksen allemaal dezelfde richting uit.

'Een auto!? Hier?'

Inderdaad, terwijl de zon aan de horizon het topje van zijn roodblinkende kaalkop naar boven hijst, hotsen er twee brandende koplampen over het oneffen terrein naar de verzamelde heksen toe. Als de lichten doven en de portieren van de grote, indrukwekkende landrover openen, ziet Trezebelle wie er aan het stuur zit: Rupert!

'En? Hebben jullie al besloten hoe jullie deze hekspert in de hekspologie voor zijn fantastisch voorstel zullen bedanken?'

Rupert kijkt spottend in het rond en ziet de heksenneus in het midden van de cirkel.

'Oei! Flink exemplaar! Als je daarin moet gaan peuteren ...'

47

Hij vindt zichzelf bijzonder grappig en gniffelt er vrolijk op los.

'U zult niet blijven lachen!' zegt Lelijke Lura scherp. 'Wij kiezen niet voor uw project. Dit wordt onze blikvanger.'

Rupert staart het lelijkste heksje verbaasd aan. Dan kijkt hij opnieuw naar de neus die plompverloren in de grote, kale vlakte staat.

'Hè ... Hèhè ... Hèhèhèhè!'

Als een locomotief die zichzelf in gang trekt, begint hij te lachen. 'Die is goed, zeg! Een blikvanger van nog geen meter hoog. Daar zullen bezoekers naar komen kijken! Woehahaaaa!'

Hij heeft er nu zoveel plezier in dat zijn lange lijf gewoon dubbel slaat van het lachen.

'Vooral de konijnen zullen er blij mee zijn. Woehahahahaaaa! Twee extra neusgatenpijpen die ze vol keutels kunnen leggen!'

Terwijl de tranen zomaar over zijn wangen biggelen, hikt hij het nu werkelijk uit. 'Jullie maken je voor eeuwig en een dag belachelijk! Woehahahahaaaa!'

'En toch kiezen we voor deze heksenneus!' zegt Sefa Bubbels onbewogen. 'Dit is ons ontwerp en het heeft ons geen enkele eurocent gekost. Het echte bouwwerk wordt natuurlijk veel indrukwekkender. Veertig ... Wat zeg ik ... Misschien wel vijftig keer groter!'

'Maar ... Dat kun je toch niet maken!? Je gaat die stomme heksenneus toch niet boven *mijn* maquette verkiezen?!'

Rupert vindt alles nu meteen een stuk minder grappig. Ongeloof brandt in zijn ogen.

'Wij vinden zo'n stomme heksenneus veel origineler dan een lelijk Fantomium! Heksen zullen zich ertoe aangetrokken voelen. Zo'n enorme neus is helemaal niets om je neus bij op te halen!'

Sefa glimlacht bitter om de woorspeling.

Rupert moet slikken: 'Ik meen het, hoor. Je maakt jezelf hopeloos belachelijk! Stel je voor ... Een lening om een heksenneus te bouwen! Als de bankdirecteur dat hoort ...'

'Wij gaan niet naar de bank! Wij willen niet lenen. Wij bouwen die heksenneus zelf. Dit moeten we kunnen!'

Het lijkt of Sefa de woorden zomaar ter plaatse verzint! Tegelijk weet Trezebelle dat de heksenleidster gelijk heeft. Als alle heksen van het hele dorp hun krachten bundelen, is dit mogelijk.

'Belachelijk!' briest Rupert. 'Hebben jullie dan zo'n lange kranen? Hebben jullie ladders van veertig of vijftig meter? En hoe gaan jullie het materiaal aanvoeren?'

'Op onze bezems!' bijt Sefa terug. 'Het moet lukken.'

'Yeeeeaa!' roept Sybille met de Dikke Billen en ze zwaait overdreven enthousiast met haar vuist door de lucht.

Rupert kijkt haar nijdig aan. Zijn kleine oogjes flikkeren boosaardig.

'Pas maar op dat je niet naar beneden dondert! Als er op jouw bezem nog een extra zak cement bij moet ...'

'Mijn bezem krijgt een extra beugel!' bijt Sybille terug. 'Een beugel in een hippe kleur. Dan neem ik niet één maar twee zakken cement de lucht in.'

'Het kan prima!' meent ook de heksenjuf, die zowaar al een tekening in het zand heeft gemaakt om alles te bewijzen. 'We beginnen met z'n allen onderaan, dat werkt gewoon veel makkelijker dan bovenaan te beginnen ...'

Zoveel logica maakt Rupert pisnijdig.

'Dat kunnen jullie niet maken. Denk ook eens aan mij. Dat Fantomium zou mij wereldberoemd maken.'

'Wereldberoemd en schatrijk!' snuift Sefa. 'Want daar is het je vooral om te doen. Maar we hebben geen enkele verplichting meer! Het geld voor het ontwerp van de maquette heb je zelf al ingepikt en voor de rest doen we wat we willen!'

Rupert is nu zo boos dat hij helemaal bleek wordt.

'Oké. Je hebt het zelf gewild! Maar kom nadien niet janken als jullie project flopt! En floppen zal het! Daar zorg ik hoogstpersoonlijk voor.'

Zonder de heksen nog één blik te gunnen, draait hij zich om, springt zijn wagen in, draait het contactsleuteltje om en scheurt er met gierende banden vandoor.

'Opgelost staat netjes,' glimlacht Sybille met de Dikke Billen.

Maar Trezebelle is ongerust. Rupert zal ongetwijfeld alles in het werk stellen om de bouw van de heksenneus onmogelijk te maken ...

6

In tegenstelling tot wat Trezebelle verwacht, laat Rupert niets meer van zich horen. Dat is maar goed ook, want de plechtige opening van de Hekspo komt intussen angstaanjagend dichterbij.

Het hele dorp gonst al weken van de activiteiten. Sommige heksen schrijven uitnodigingen naar heksendorpen over de hele wereld. Anderen stellen tenten op. Weer anderen leggen wegen aan, informeren waar de bezoekende heksen onderdak kunnen krijgen of koken enorme hoeveelheden spaghetti met zuurzoete etterpuistjes die tijdens de Hekspo opgewarmd kan worden.

Maar de meeste heksen werken natuurlijk aan de bouw van de Heksenneus, het grootste project dat ooit in het kleine heksendorpje achter de zee verwezenlijkt werd.

En het moet gezegd worden ... de heksen weten van aanpakken. Als ijverige bijen vliegen ze al weken af en aan met materialen. Ze cirkelen op hun bezems rond de heksenneus, die steeds hoger wordt.

'Het gaat prima!' juicht Sefa Bubbels. 'Maar het blijft een hele klus. Ik ben benieuwd of we het op tijd afkrijgen,' zei ze peinzend.

Dat is inderdaad de vraag ...

Zo'n heksenneus van vijftig meter is een hele onderneming. De heksen hebben eerst een grote put gegraven. Daarin storten ze beton, zodat het bouwwerk niet kon wegzakken.

Daarna konden ze met de eigenlijke bouw starten: een grote cirkel, waarin al snel plaats moest worden uitgespaard voor de neusgaten.

Van buitenaf lijken die op boogvormige garagepoorten die elk door middel van een metalen rolluik afgesloten worden.

Hoewel de heksen in hun huizen uitsluitend flapdeurtjes plaatsen zodat iedereen bij iedereen naar binnen kan, is dat

voor een in- en uitgangshal niet zo handig. Stel je voor! Twee garageflapdeurpoorten ... Wie die moet opentrappen, moet wel extra zware laarzen dragen!

Bovendien zijn er de konijnen. Misschien had Rupert wel gelijk en komen die 's nachts een onderdak zoeken in de heksenneus. Dan liggen de roltrappen de volgende dag vol keutels! Nee, dan toch maar liever een grote metalen deur met daarin een kleinere deur die met een grendeltje afgesloten kan worden.

Op die manier ligt het hele bouwwerk er bij stormweer veilig bij en kan de wind niet door de neusgaten gieren.

Hoewel Trezebelle denkt dat sommige bezoeksters zo'n winderige neus heel interessant zullen vinden, wil Sefa Bubbels er niet van weten.

'Onze neus moet in alle weersomstandigheden bezocht kunnen worden!' vindt zij. Dat is de reden waarom ze een ventilator boven stormwind verkiest. Die zorgt voor een frisse wind wanneer de zon op het glazen platform brandt.

Met de lening voor die ventilator valt het trouwens wel mee. Al snel wordt duidelijk dat de Hekspo een groot succes zal worden. Van over de hele wereld sturen heksen de inschrijvingsformulieren terug. Ook veel gewone mensen willen graag een kijkje in de fantastische heksenwereld nemen. Zij zullen natuurlijk geld meebrengen en dat geeft Sefa Bubbels vertrouwen. Ze stapt dan ook met alle teruggestuurde inschrijvingsformulieren naar de bank. De directeur is zo onder de indruk dat de heksen hun dorp niet als onderpand hoeven te geven. Met een fikse rente op het geleende geld is hij al tevreden. Nu kunnen de heksen in de buitenwereld spullen kopen: een ventilator, een paar grote spots, een zwaailicht.

En zo gaat de bouw verder. Steeds sneller en steeds hoger. Ook aan het binnenwerk wordt heel wat aandacht besteed. Een glazen platform bovenop de neuswortel, roltrappen ... Verder wordt er een scheidingswand gebouwd tussen het linker- en het rechterneusgat, net zoals dat ook met echte neuzen het geval is.

En dan moet er nog een glijbaan komen. Geen rechttoe

rechtaan glijbaan, want dat is niet spannend genoeg. Nee, de heksenglijbaan voert in een sierlijke s-vorm naar beneden. Het lijkt alsof er een enorme kronkelende snotpier uit de neus probeert te kruipen.

Alsof dat nog niet genoeg is, moeten de luchtkussens ook nog opgeblazen worden. Grote, zachte luchtkussens in felle kleuren. Lichtblauw en oranje en paars en geel. Uren en uren blaast Trezebelle samen met haar vriendinnen de lucht uit haar lijf.

Als alle kussens eindelijk zijn opgeblazen, lijkt het wel of ze haar longen binnenstebuiten heeft gekeerd, zo moe is ze.

Maar het resultaat mag gezien worden, want intussen hebben ook de andere heksen hun taak erop zitten.

Precies drie dagen voor de officiële opening, staan alle heksen met open mond naar hun bouwwerk te kijken.

'Mooi, heel mooi!' zucht Sefa Bubbels tevreden. Van ontroering pinkt ze een traantje weg.

Het is inderdaad een droom van een heksenneus! Hij is sterk gebogen en heeft op de kromming een vijftal indrukwekkende wratten, net zoals de heksenneus die Trezebelle draagt.

'Misschien nog wat begroeiing binnenin?' vraagt de heksenjuf zich af. Zoals gewoonlijk is ze niet te stoppen.

'Begroeiing?'

'Zwart geschilderd riet. Ik zou het tegen de scheidingswand aanbrengen. Als je beneden aan de roltrap staat en naar boven kijkt, lijkt het wel alsof er in ieder neusgat zwarte haren groeien.'

Sefa vindt die kunstmatige, weerbarstige haren maar niks.

'Het zal de bezoekers alleen maar hinderen. En misschien zijn er wel deugnieten die het uittrekken en er de roltrap mee blokkeren? Nee, het is goed geweest. We hebben een pracht van een heksenneus. We hoeven niet te overdrijven.'

Vol bewondering kijkt ze opnieuw naar het vleeskleurige monument dat wel vijftig meter hoog voor haar oprijst.

'Wat zouden jullie denken van eerst een bezemtochtje en later een receptie met paddenkwijl?'

Tja, dat hoeft Sefa natuurlijk geen twee keer te zeggen. Elke heks die nog enigszins te bezem is, haalt er dan ook haar vliegstok bij. Zelfs Grijze Molle die bijna negentig is en al jaren niet meer durft vliegen uit schrik dat haar valse tanden dan naar beneden vallen, waagt zich voor een keer nog eens in de lucht. En ze heeft er geen spijt van! Het resultaat is gewoon fantastisch. Van kilometers ver is de neus al zichtbaar. Als een boegbeeld op een schip staat hij daar. Onaantastbaar en kordaat rijst hij uit het landschap op. En als de spots worden aangestoken en het zwaailicht in werking wordt gesteld, krijgt alles nog een sprookjesachtig tintje. Trezebelle is zo ontroerd dat ze haar tranen niet kan bedwingen. Geef toe, het is ook wat ... Je eigen neus, ontelbare keren vergroot, als een symbool voor wat alles wat heksen over de hele wereld met elkaar verbindt ...

Maar het mooiste moet nog komen. Een receptie met paddenkwijl! Trezebelle drinkt zoveel dat ze helemaal duizelig wordt. Lelijke Lura, Roos Netelroos en Sybille met de Dikke Billen zijn er al niet beter aan toe. En wanneer ze midden in de nacht naar huis gaan, schalt hun lied door de heksennacht:

Mooi is lelijk, lelijk mooi,
'k wil een rimpel, 'k wil een plooi.
Boven op mijn neus een wrat
En vijf puisten op mijn gat.

Als Trezebelle thuis aankomt, voelt ze zich minder lekker. Haar hele kamer draait als een draaimolen in het rond.

Als mijn bed nu nog eens voorbijkomt, spring ik erbovenop, neemt ze zich voor.

En jawel hoor, bij de volgende ronde waagt ze haar kans. Ze neemt een geweldige sprong en klampt zich aan haar kussen vast. Ze hoopt nu dat het beter zal gaan, maar als ze op haar rug gaat liggen, wordt alles nog erger. Nee, zo kan het echt niet. Het lijkt of er nu ook vanalles in haar buik begint te rommelen.

Voorzichtig laat ze zich opnieuw uit haar bed zakken en strompelt tot aan het raam. Ze trekt het open. Ze heeft lucht nodig. Dat zal haar goed doen.

Vanwaar ze nu staat, heeft ze een prima uitzicht op de Heksenneus die als een enorme rots in het landschap oprijst. Mooi toch, hoe de spots alles zo feeëriek verlichten. En het zwaailicht is natuurlijk helemaal fantastisch. Op die manier kunnen vliegende heksen er nooit tegenaan botsen.

Komt het door de frisse wind of door de ontroering, Trezebelle weet het niet, maar ze voelt zich al snel een stuk beter. In haar buik lijkt alles weer op z'n juiste plaats te schuiven. Ze is nu ook een stuk minder duizelig. Alsof de draaimolen aan snelheid heeft ingeboet.

Ze concentreert zich opnieuw op het uitzicht. Prachtig toch, die ronde volle maan achter de verlichte heksenneus. Als ze daar een foto van maakt, wint ze er vast een prijs mee.

Maar ...

Wat is dat!?

Trezebelle richt haar blik scherper.

Nee, dat kan niet! Dat moet een gevolg zijn van het paddenkwijl!

Ze wrijft in haar ogen, kijkt dan opnieuw. Maar ze ziet wat ze ziet. In het licht van de volle maan sluipt een man.

Rupert!

Hij heeft een grote zak over zijn schouder die met een touw is dichtgeknoopt.

Dynamiet!

Trezebelle weet niet waarom ze opeens aan dynamiet denkt. Het is gewoon het eerste wat haar te binnen schiet.

Ze probeert de gedachte te verdringen.

Wat zou Rupert met dynamiet ...?

Hij heeft gezworen het project te laten floppen en hij heeft al veel te lang niets van zich laten horen!

Dus toch dynamiet!?

Trezebelle spant zich in om Rupert met haar ogen te volgen. Dat is niet makkelijk na die overdosis paddenkwijl. Hoewel het wat beter met haar gaat, voelt ze zich nog draaierig. Bovendien loopt Rupert vaak in de schaduw. Alsof hij bewust langs de heksenhuisjes sluipt, zodat niemand hem kan zien.

Daar ... Daar is hij weer.

Even kan Trezebelle hem duidelijk onderscheiden. Hij is nu voorbij de hoofdstraat en sluipt als een dief in de nacht over een nieuw aangelegde weg in de richting van de Heksenneus.

Trezebelle weet dat ze actie moet ondernemen. Ze mag hem zijn gang niet laten gaan. Ze wankelt de trap af, de flapdeurtjes uit. Vanwaar ze nu staat, kan ze Rupert niet meer zien. Maar ze weet waar hij naartoe is. Ze moet hem inhalen.

Mijn vriendinnen, flitst het door haar hoofd. *Ik moet mijn vriendinnen op de hoogte brengen. Dat is veel veiliger.*

Tegelijk weet ze dat er te weinig tijd is. Ze moet Rupert zo snel mogelijk inhalen, zo snel mogelijk stoppen. In haar gedachten ziet ze de met dynamiet volgehangen Heksenneus al in duizenden stukken door de lucht vliegen ...

7

Door al dat paddenkwijl is Trezebelle zo roekeloos geworden dat ze geen angst meer voelt. Gevaarlijk natuurlijk! Hoe zal zij ooit die grote, volwassen man kunnen tegenhouden? Ze stelt zich die vraag niet eens, maar vliegt Rupert door de straten van het heksendorp en over de nieuw aangelegde wegen aan. Ze moet de andere heksen beschermen tegen de ramp die hen te wachten staat. Ze moet en ze zal hem inhalen!

Dat is vlugger gezegd dan gedaan! Rupert heeft niet alleen een fikse voorsprong maar ook ellenlange benen. Bovendien deint de wereld bij elke stap die Trezebelle doet nog altijd onrustig op en neer. Alsof ze zich in een bootje op een woelige zee bevindt. Ze zou even willen stoppen in de hoop dat het klotsende landschap weer tot rust komt, maar dat kan natuurlijk niet. Elke seconde is kostbaar. Ze móét verder!

Intussen kan ze zich wel voor het hoofd slaan omdat ze haar heksenbezem niet heeft meegenomen. Vanuit de lucht zou ze Rupert beter kunnen volgen. Ze zou ook niet zo moe zijn. Dom dus. Héél dom. Ze heeft trouwens ook haar gsm niet bij zich. Haar moeder heeft het al zo dikwijls gezegd: 'Eerst nadenken, dan doen.' Trezebelle pakt het meestal omgekeerd aan. Ze doet eerst en begint dan pas na te denken.

Omdat ze al te ver is om nog terug te keren, strompelt ze hijgend verder. Een eindje verder struikelt ze over haar eigen voeten en belandt met een kreet van pijn op de grond.

Zou Rupert haar gehoord hebben?

Snel krabbelt ze overeind en springt achter een struik langs de kant van de weg. Hijgend blijft ze daar een tijdje zitten. Terwijl haar ogen de weg aftasten, probeert ze alle geluiden om zich heen op te vangen. Gelukkig wijst niets erop dat Rupert haar richting uitkomt. Maar is dat wel een goed teken? Als Rupert haar niet gehoord heeft, moet zijn voorsprong nog altijd heel groot zijn ...

Trezebelle komt achter de struik vandaan en zet het opnieuw op een lopen. In haar gedachten ziet ze de Heksenneus in een wolk van vuur en stof uit elkaar spatten. Vurig hoopt ze dat die ontploffing nog op zich zal laten wachten. Als Rupert de Heksenneus wil laten exploderen, moet hij eerst een lang lont uitrollen en ontsteken. Hij is vast niet van plan om zichzelf op te blazen en zal op een veilige afstand willen blijven.

Die gedachte geeft haar hoop. Ze holt verder. Ze zweet nu zo hard dat haar valse heksenneus bij elke stap over haar snoet schuift. Vervelend! Ze had dat ding beter op haar kamer achtergelaten.

Nu ze dichter en dichter bij de Heksenneus komt, is de weg gelukkig beter verlicht door de spots die op het bouwwerk gericht zijn. Het risico om een tweede keer te vallen wordt nu een stuk kleiner.

Even later komt ze bij het linkerneusgat. Ze merkt dadelijk dat het kleine deurtje op een kier staat. De grendel is
weggeschoven.

Rupert moet dus al in de Heksenneus zijn!

Ze pakt het nu wat voorzichtiger aan en sluipt geruisloos
naar het halletje. Gelukkig piept het deurtje niet. Het is
nog gloednieuw en de scharnieren zijn pas geolied. Dat is
nog eens een meevaller.

In de hal brandt een spookachtig, melkwit licht. Het

maanlicht dat via het grote glazen platform in trechtervorm naar beneden valt, vormt een onaardse schijn. Maar enger nog dan dat vage, bleke maanlicht is de roodachtige gloed van het zwaailicht. Alsof het naar iets op zoek is, beweegt het flikkerend over de hardstenen vloer. Dan verdwijnt het een poosje in de rechterhelft van de neus om vervolgens weer een halve cirkel door het linkerneusgat te maken.

Raar is dat. Zo'n licht dat in een identieke beweging keer op keer de grond aftast om dan weer voor een poosje te verdwijnen. Het zet Trezebelles fantasie in werking. *Alsof iemand een zoeklicht bedient.*

Trezebelle blijft dicht bij de deur uit schrik om gezien te worden. Daar is het donker en loopt ze minder gevaar. Ze speurt de hal af. Niets! De roltrap misschien? Die staat stil. Er is geen spoor van Rupert te bekennen. Zou hij al op het platform zijn?

Voorzichtig doet Trezebelle een paar stapjes naar voren. Vanop de plaats waar ze nu staat kan ze door de glazen bodem van het platform zowel de maan als het zwaailicht zien. Maar geen spoor van Rupert. Trezebelle snapt er niks van. Opnieuw maken haar ogen dezelfde tocht: niets in de hal, niets op de trap, niets op het platform. Het lijkt wel een goocheltruc. Rupert moet toch ergens gebleven zijn? Is hij langs de glijbaan naar beneden gegaan of bevindt hij zich in het andere neusgat?

Ze moet het weten en schuift aarzelend naar de trap toe.

Omdat zo'n ratelende roltrap veel te veel lawaai maakt, durft ze niet op de grote, ronde knop te drukken die zich onderaan bevindt en die de trap in werking zet. In plaats daarvan begint ze stap voor stap aan de beklimming.

Makkelijker gezegd dan gedaan! Het valt niet mee om met zes glazen paddekwijl in je lijf zo'n lange roltrap op te klimmen. Na een tree of tien wil Trezebelle al even stoppen om even uit te hijgen. Dat kan natuurlijk niet. Ze moet verder! Stel je voor dat Rupert onverwacht te voorschijn komt.

Puffend en blazend belandt ze uiteindelijk op het platform. Ze voelt zich nu zo uitgeput dat ze zich stevig vasthoudt aan het metalen hekje dat moet verhinderen dat al te enthousiaste bezoekers in de diepte storten. Ook het alsmaar draaiende zwaailicht vergroot haar gevoel van duizeligheid. Hoewel ze nu een prima uitzicht heeft over de wijde omgeving kan ze nog altijd geen spoor van Rupert ontdekken. De luchtkussens onderaan de glijbaan liggen er onberispelijk bij. Die weg heeft hij dus zeker niet genomen.

Er blijft nu maar één logische oplossing over: Rupert moet zich ergens in het rechterneusgat bevinden. Maar waarom hij die dynamiet - want dat het dynamiet moet zijn, daarvan is Trezebelle nog altijd overtuigd - absoluut in dát neusgat wil plaatsen, is haar niet duidelijk.

Voorzichtig neemt ze de roltrap die naar beneden gaat. Ook dit keer durft ze hem niet in werking stellen. Ze voelt haar hart in haar keel kloppen. Het is ook heel eng. Als Ru-

pert zich in de hal ophoudt en even naar boven kijkt, moet hij haar wel zien ...

De hele tijd blijft dezelfde vraag door haar hoofd spoken: waarom gaat Rupert via het linkerneusgat naar boven? Als hij in dat rechterneusgat moet zijn, had hij toch beter meteen de rechterdeur kunnen nemen ...

Bij elke stap neemt de onrust toe.

Een valstrik. Dit moet een valstrik zijn.

Een grote angst bekruipt haar, lijkt haar spieren te verstijven. Nu het paddenkwijl bijna is uitgewerkt, dringen de gevolgen van haar daad pas echt tot haar door. Misschien heeft Rupert het dynamiet al verstopt en vliegt de hele neus dadelijk de lucht in. Trezebelle buigt door haar knieën en kijkt naar de trap. Zou er misschien ... Niets! Ze voelt met haar handen. Nee, geen lont. De ontploffing zal nog even op zich laten wachten.

Terwijl ze daar halverwege op de trap zit, voelt ze plotseling een trilling onder zich. En dat geluid? Waar heeft ze dat eerder gehoord?

Ze springt op, voelt hoe ze langzaam naar beneden begint te bewegen.

De trap! Iemand heeft de roltrap in werking gezet.

In paniek kijkt ze naar beneden. Naast de roltrap ziet ze Rupert. Hij heeft zijn hand op de grote ronde knop en kijkt haar grijnzend aan.

Met een ruk keert ze zich om en stormt de trap in tegenovergestelde richting op. Met twee, drie treden tegelijk vliegt ze naar boven. In het begin wint ze terrein. Maar Rupert is er gerust op dat ze hem niet zal ontsnappen. Hij blijft op de knop duwen, zodat de trap sneller en sneller begint te bewegen. *Bij grote drukte moet hij sneller gaan zodat we veel mensen kunnen vervoeren, heeft Sefa beslist ...*

Hoewel Trezebelle zich nu zowat de benen onder haar heksenlijf uitloopt, verliest ze terrein. Een tijdje blijft ze op dezelfde plek trappelen. Dan lukt zelfs dat niet meer. Beetje bij beetje voert de roltrap haar naar beneden tot ze uiteindelijk weer op de plaats is waar ze haar vlucht heeft ingezet. Daar breekt haar weerstand. Uitgeput zakt ze door haar benen en krimpt tot een hoopje ellende samen. Hijgend. Ademloos. Verslagen.

Beneden aan de trap wacht Rupert haar op. Hij heeft een zaklantaarn in zijn hand waarmee hij in haar ogen schijnt.

'Van waar de haast, mijn heksenpopje?'

Op zijn rug draagt hij nog altijd de grote zak ...

8

Platte knopen, vissersknopen, speciale knopen ... Ze hebben geen geheimen voor Rupert. In geen tijd heeft hij de uitgeputte Trezebelle overmeesterd en haar handen en voeten vastgebonden.

'En nu nog een prop in je mond!'

Trezebelle schudt bang haar hoofd.

'Alsje... Alsjeblieft,' brengt ze er hijgend uit. 'Ik heb ... Ik ben nu al buiten adem. Als je ... Als je een prop in mijn mond stopt ...'

Ze slaagt er niet in Rupert te vertellen dat ze dan wel eens zou kunnen stikken, maar het is al niet meer nodig. Hij heeft het gevaar zelf ingezien en steekt zijn vieze zakdoek weer in zijn broekzak.

'Haal het niet in je hoofd om te roepen!'

Ik kan niet eens roepen, denkt Trezebelle. *Ik ben veel te moe om wat dan ook te doen.*

Rupert is blijkbaar tot dezelfde conclusie gekomen. Hij snapt dat dit kleine, uitgeputte heksenmeisje helemaal geen gevaar meer oplevert. Het geeft hem een gevoel van macht.

'Ik had je gewaarschuwd,' glimlacht hij hooghartig. 'Ik zou er hoogstpersoonlijk voor zorgen dat jullie project zou floppen! Je had misschien al eerder wat actie van mij verwacht, maar ik had alle tijd. Liever wat langer wachten om dan ineens groot uit te halen!'

Bang kijkt Trezebelle naar de grote zak die wat verder op de grond ligt. Hij zal het gebouw toch niet met haar samen opblazen?

'Je had me hier niet verwacht, hè? Niet in deze helft van de heksenneus.'

Juist. Ze begrijpt nog altijd niet waarom Rupert eerst aan

de linkerkant is binnengegaan.

'Ik had je horen gillen. Ik wist natuurlijk niet dat jij het was, maar ik wist dat ik achtervolgd werd. Toen ik bij dit belachelijke rotgebouw kwam, heb ik het linkerdeurtje opengedaan en heb me in de struiken verborgen. Ik heb gewacht tot je een tijdje naar binnen was, heb het grendeltje weer op de deur gedaan en ben de rechterhal binnen gestapt. Toen was het alleen nog een kwestie van tijd. Ik had kunnen wachten tot je helemaal beneden was om je dan te overvallen, maar ik vond het spannender om je die roltrap in omgekeerde richting te zien oplopen. Ik wist dat je vroeg of laat de strijd zou verliezen en ik moet toegeven: het gaf me geen onprettig gevoel ...'

Hij stopt even en kijkt haar aan met dat typisch hooghartig glimlachje van hem. In andere omstandigheden zou Trezebelle zeker de kriebels voelen om die grijns van zijn gezicht te vegen. Maar niet vandaag, niet na de uitputtende race op de roltrap.

'Je vraagt je nu waarschijnlijk wel af wat ik met je van plan ben en wat er in die zak zit?'

Opnieuw kijkt Trezebelle naar de zak op de grond. Ze weet het antwoord al lang.

'Dy... dy... dynamiet,' hijgt ze. 'Je wil de Heksenneus opbla... opblazen.'

'Opblazen!?'

Met een mengeling van ongeloof en plezier kijkt Rupert

73

haar aan. 'Opblazen!? Maar heksjelief toch, zoveel adem heb ik niet.'

Hij vindt zichzelf blijkbaar weer bijzonder grappig en proest het uit. Net als bij zijn eerdere lachbui klapt zijn lange lichaam bijna dubbel. Trezebelle begrijpt er niets van. Vanwaar die plotse vrolijkheid?

'Wat zit ... Wat zit er dan in die zak?' hijgt ze. 'U moet toch *iets* van plan zijn? Da... dat kan niet anders!'

'Natuurlijk zit er iets in die zak. Maar geen dynamiet. Ik ben niet gek! Ik wil de politie niet op mijn hals. Ik pak het subtieler aan. Ik gebruik een wapen dat geen wapen is ...'

Hij neemt zijn sjaal, knoopt die rond zijn mond, stapt tot bij de zak en steekt er zijn hand in. Hoewel Trezebelle te ver zit om het goed te zien, meent ze in het ronddraaiende zwaailicht een wit poeder in zijn hand te kunnen onderscheiden.

'Wa... wat is dat?'

'Waag eens een gokje? Poedersuiker, drugs, zout, meel?'

Trezebelle haalt nors haar schouders op. Ze houdt niet van het machtsspelletje dat Rupert met haar speelt. Hij heeft er duidelijk wél plezier in. Hij laat het poeder weer in de zak vallen, trekt zijn sjaal af en kijkt haar breed lachend aan.

'Raadsel, raadsel ... Maar ik zal je helpen ... Ik heb ook nog iets anders nodig om mijn plan tot een goed einde te brengen!'

Hij draait zich om, stapt naar een elektriciteitskast aan

de muur en draait aan een knop. Het volgende ogenblik hoort Trezebelle een zacht ronkend geluid en ze voelt ... een briesje.

'De ventilator ...' glimlacht Rupert. 'Wordt het nu nog niet duidelijk?'

Trezebelle probeert koortsachtig alles met elkaar te verbinden. Een wit poeder ... Een ventilator ... En waarom draagt Rupert op een zwoele zomeravond een sjaal voor zijn mond? Hoe ze ook probeert, het lukt niet. Het blijft één groot mysterie.

'Wel?' moedigt Rupert haar aan. 'Denk eens na. Zit er nog wat anders dan mayonaise in die hersenpan van jou?'

Hij stapt weer naar de zak en haalt er wat van het poeder uit. Dit keer loopt hij er wel mee naar haar toe.

'Ruiken?'

Trezebelle doet het. Onmiddellijk begint het op een verschrikkelijke manier te kriebelen in haar neus en in haar keel. En haar ogen schieten zomaar vol tranen.

'A... a... a...'

'Ah, je weet het!' grapt Rupert terwijl hij het poeder snel weer in de zak laat vallen en de zak heel zorgvuldig dichtknoopt.

Trezebelle gaat intussen maar door: 'A... a... a...'

'Tsjoem!' roept Rupert nu en alsof ze daarop gewacht had barst het heksenmeisje op datzelfde ogenblik in een verschrikkelijk niesbui uit.

75

'Wat nu? Kriebels in de neus? Toch geen niespoeder gesnoven?'

En Trezebelle dacht dat heel die zak vol dynamietstaven zat!

'Niespoeder lijkt veel minder erg dan dynamiet. Je krijgt de politie niet achter je aan, maar het heeft uiteindelijk hetzelfde effect. Als mijn plannetje lukt, zullen er geen bezoekers meer komen ...'

'Wat ... Wat ...'

'Watsjoem!' grinnikt Rupert. 'Of wou je misschien vragen wat ik van plan ben. Wel, straks strooi ik deze zak boven in de heksenneus leeg. In elk neusgat de helft. Dan ga ik met de glijbaan naar beneden. Tijdens de feestelijke opening glip ik tussen de andere bezoekers mee naar binnen en als ik eenmaal binnen ben, tja dan ...'

Hij stapt weer naar de elektriciteitskast aan de muur en draait aan de knop. Het gaat nu harder waaien. Rupert glimlacht. 'Wordt het je duidelijk?'

Hij draait nog verder aan de knop en de stevige bries verandert in een stormwind. Hij rolt de trappen af en danst door de hal. Trezebelles haren zwiepen zomaar in haar ogen en in haar mond.

'Ik heb overal mijn mannetjes!' verduidelijkt Rupert. 'Toen Sefa Bubbels een ventilator bestelde, heb ik er voor gezorgd dat er een bijzonder krachtig exemplaar geleverd werd. Ik zal niet zeggen dat hij sterk genoeg is om een echte tornado te

ontketenen, maar hij komt toch aardig in de buurt.'

Hij moet nu schreeuwen om boven het geloei van de wind uit te komen.

'Kun je je voorstellen wat er gebeurt? Het niespoeder stuift alle kanten op. Fantastisch toch ... Al die hooggeplaatste heksen uit al die verre landen zullen ervan moeten snuiten en sniffelen tot het snot in het rond vliegt ... Succes verzekerd, denk je ook niet?'

Trezebelle wil iets antwoorden, maar ze krijgt geen woord door haar keel, zo hard kriebelt haar neus nog altijd.

'En ik heb je nog niet alles verteld ... Schat eens hoeveel kilo er in die zak zit? Tien, vijftien misschien?'

Hij kijkt Trezebelle belangstellend aan. Verschrikkelijk! Ze kan niet eens met haar handen bij haar valse neus om even de echte te krabben.

'A... a... a...'

'Schitterend!' jubelt Rupert. 'Achtentwintig kilo. Achtentwintig kilo niespoeder. Als dat begint rond te dwarrelen ... Misschien zijn er wel heksen bij die hun gebit uit hun mond niezen. Of misschien niezen ze zich wel dood. Dát zou pas echt een schokeffect geven!'

Terwijl hij de ventilator afzet, schatert hij het zo vreselijk hard uit, dat Trezebelle haar maag voelt samenkrimpen. O, als ze nu haar handen vrij had, dan zou ze hem ...

Maar het ziet er niet naar uit dat Rupert haar die kans zal geven. Hij trekt het touw rond de zak extra aan zodat het lekker stevig zit en stapt naar Trezebelle toe. Ruw trekt hij haar overeind.

'Jammer genoeg zit ik met een probleem ... Jij!'

Trezebelle kijkt hem niet-begrijpend aan.

'Ik kan je nu niet vrijlaten. Je zou me verraden. Ik moet je dus een paar dagen meenemen, mee naar de mensenwereld! Maar eerst moet ik doen waarvoor ik gekomen ben.'

Hij gooit met de ene hand de zak over zijn schouder en sleurt haar met de andere hand in de richting van de deur. Even snapt Trezebelle niet waarom hij die kant oploopt. Dan wordt het haar duidelijk. Hij wil in het andere neusgat de roltrap nemen die naar boven gaat, dan hoeft hij alle trappen niet te lopen ...

'Alsjeblieft. Laat ons onze Hekspo in vrede ...'

Rupert is niet te vermurwen. Hij rukt zo ruw aan het touw dat het door haar vel lijkt te snijden en ze van pure pijn de rest van haar zin inslikt. 'Mee! Je had maar niet zo stom moeten zijn om me te achtervolgen!'

Zonder ook maar een spatje medelijden te tonen, sleurt hij haar naar de deur ...

9

Op het ogenblik dat Rupert de deur bereikt, wordt die van buitenaf geopend.

'Hallo!'

In de deuropening staat Sybille met de Dikke Billen. Ze ziet er bijzonder indrukwekkend uit door de schijnwerper achter haar die de Heksenneus belicht. Als een donkergrijze blok beton valt haar schaduw naar binnen.

'Hallo!' Over Sybilles schouder komt een ander gezicht kijken. Dat van Roos Netelroos.

'Hallo!'

En tussen Sybilles benen ... Lelijke Lura. Hoewel ze de kleinste is, weet ze zich altijd tussen te wringen ...
'Waar komen jullie ...'

Rupert slaagt er niet meer in het woord "vandaan" aan zijn zin te breien. Nu pas ziet hij dat Sybille met de Dikke Billen een zware honkbalknuppel in haar hand heeft. Als de slinger van een uurwerk beweegt ze hem dreigend op en neer in haar hand.

'Tok ... tok ... tok ...'

Met Trezebelle nog altijd tegen zich aangetrokken, deinst Rupert achteruit.

'Waar ... waar komen jullie vandaan?'

'Uit onze huisjes,' glimlacht Sybille rustig. Ze blijft de honk-balknuppel op en neer bewegen. 'Lelijke Lura had te veel pad-denkwijl gedronken. Ze kwam niet in slaap en was tot naar het raam gelopen om wat frisse lucht te happen. Je raadt nooit wat ze toen zag ...'

'Ik zag u naar de Heksenneus sluipen,' ging Lelijke Lura verder. 'Ik wreef eens in mijn heksenogen en keek opnieuw. Toen zag ik Trezebelle. Ze sloop u achterna. Ondanks mijn kater ben ik direct mijn vriendinnen wakker gaan maken. Niet gemakkelijk, want als Sybille slaapt, snurkt ze zo hard dat de hemel dreigt in te storten.'

Ze heeft zich inmiddels tot voor haar dikste vriendin gewurmd. Ze keert zich om en knipoogt naar haar.

Dat is het moment waarop Rupert gewacht heeft. Hij geeft Trezebelle een duw, zodat ze meters verder tegen de grond vliegt, draait zich om en springt met de zware zak op zijn schouders de roltrap op.

'Je krijgt me nooit te pakken!' roept hij zelfverzekerd.

Dat is nu precies wat Lelijke Lura wel van plan is. Hoewel ze heel klein is, is ze supersnel. 'Als zij voorbijloopt heb je een verkoudheid!' grapt de heksenjuf altijd. Met Roos achter haar aan, schiet ze de roltrap op.

Sybille met de Dikke Billen, die al weet dat ze in snelheid tekortschiet, bekommert zich om Trezebelle. Met haar dikke vingers probeert ze de touwen los te knopen. Niet gemakkelijk, want Rupert heeft ze heel strak aangetrokken.

Intussen is de achtervolging in volle gang. Hoe snel Lelijke Lura ook is, toch weet Rupert met z'n lange benen zijn voorsprong uit te bouwen. In geen tijd heeft hij al drie kwart van de roltrap achter zich gelaten.

Gelukkig is Sybille er intussen in geslaagd om Trezebelle

te bevrijden. En die weet natuurlijk precies wat ze moet doen. In geen tijd is ze bij de grote, ronde knop. Ze drukt er met al haar kracht op. En jawel hoor ... het volgende ogenblik rolt de trap naar beneden.

Het gebeurt zo onverwacht dat Rupert, die net een nieuwe sprong maakt, verkeerd neerkomt en enkele meters naar beneden glijdt.

Tegen de tijd dat hij weer is opgestaan, heeft Lelijke Lura hem al bij zijn broekspijp vast.

'Ik heb hem te pakken!'

'Dat dacht je maar!'

Rupert neemt de zware zak van zijn schouder, klemt hem stevig in één hand en verkoopt het magerste heksje er zo'n geweldige oplawaai mee dat ze half versuft naar beneden tuimelt.

Gelukkig is Roos er nog! Die vangt haar een paar treden lager op.

'Gaat het?'

Lelijke Lura antwoordt niet eens. Zij bestormt opnieuw de trap op, op de hielen gevolgd door Roos. In de verte volgt Trezebelle nu ook. Zij heeft de bediening van de knop toevertrouwd aan Sybille, die erop gaan zitten is.

Rupert krijgt het hoe langer hoe moeilijker! Met het gewicht van Sybille op de knop, raast de roltrap nu met grote snelheid naar beneden. Bovendien is die zware zak er nog. Met elke stap lijkt die meer en meer te wegen.

Rupert weet dat hij door moet gaan. Tegen vier heksen tegelijk kan hij nooit op. Als ze hem te pakken krijgen, kan hij z'n plannetje wel vergeten en dat is het laatste wat hij wil.

En dus stormt hij verder. Uitgeput en hijgend slaagt hij erin met elke sprong een beetje dichter bij het platform te komen.

Ik mag niet opgeven!

Zes treden nog.

Ik moet volhouden!

Vijf treden nog.

Hoe verschrikkelijk ik me ook voel.

Vier treden nog.

Ik moet. Ik moet. Ik moet.

Drie treden nog.

Dan, in het zicht van wat je de eindstreep zou kunnen noemen, waagt hij een verschrikkelijke dodensprong. Alsof hij een ver- en hoogspringer tegelijk is, duwt hij af, zweeft door de lucht ... en komt op het uiterste randje van het platform neer. Even lijkt het erop of hij door de zware zak op zijn rug het evenwicht zal verliezen en naar beneden zal donderen, maar op de een of andere onmogelijke manier slaagt hij er toch in zijn lange lijf in evenwicht te houden en op het platform te blijven.

'En nu komt de afrekening!'

Zijn hand gaat naar het touw om de zak. In haar verbeelding ziet Sybille het witte poeder al naar beneden dwarrelen. Ze springt van de knop, zet hem in haar haast om weg te komen volledig uit, draait haar rug naar Rupert toe en perst haar handen voor haar ogen.

Maar ... Rupert heeft het touw zo hard aangetrokken dat hij het niet meteen loskrijgt.

'Alle heksenneuzen nog aan toe.'

Hij trekt nu aan het andere einde van het stuk touw, maar dat helpt ook niet. Op die manier trekt hij de knoop alleen maar strakker aan.

Intussen stormen Lura en Roos de stilgevallen roltrap op. En ook Trezebelle is al dichterbij gekomen.

Vanuit zijn ooghoeken ziet Rupert het gevaar. Hij doet een paar stappen achteruit en trekt nogmaals aan het touw.

Alle-wrattige-heksen-nog-aan-toe! Niet los te krijgen!

Het volgende ogenblik springt Lura op het platform, onmiddellijk gevolgd door Roos.

Beneden is ook Sybille aan de achtervolging begonnen. Driftig zwaaiend met de honkbalknuppel stormt zij haar drie vriendinnen achterna.

Rupert krijgt het nu Spaans benauwd. Hij mag dan bijna twee meter groot zijn, toch zijn er in dat lange lijf van hem bijna geen spieren te vinden. Hij heeft zijn hele leven alleen maar achter een bureautje gezeten en is helemaal geen vechtersbaas ... En hij heeft vooral veel te veel actiefilms gezien. Daar stort de slechterik op het einde van de film bijna altijd van een of ander platform naar beneden.

Nee, dan toch maar liever het gevaar ontvluchten. Naar beneden!

Met een ruk keert hij zich om. Hij gooit de zak niespoeder op de gladde glijbaan en zet af ... Een nieuwe dodensprong, plat op zijn buik!

Als in een reflex wil Lelijke Lura hem achterna. Roos slaat haar arm rond haar hals en houdt haar tegen.

'Niet doen!'

Niets te vroeg ... Door de wilde sprong knalt de zak open, zodat Rupert in een enorme wolk van niespoeder de glijbaan afschuift. Nog voor hij goed en wel vertrokken is, begint hij te proesten en te niezen alsof hij zijn longen er wil uitspuwen. In een poging om het allerergste alsnog te vermijden, duwt hij de zak voor zich uit!

Dat had hij net niet moeten doen. Aan het einde van de glijbaan ploft de opengescheurde zak op de kussens en ... knalt Rupert er tot over zijn oren in.

'Da... dat zal hem leren!' hijgt Trezebelle, die net op dat ogenblik op haar beurt het platform bereikt.

Ze ziet hoe onder haar, in het licht van de schijnwerper, de witbepoederde man rechtkrabbelt.

'A... a... a...' kan ze hem tot boven naar adem horen happen.

'Atsjoem!' grapt ze.

'Aa... aaaaaa.... aaaaaaaatsjoem!' echoot Rupert beneden.

86

En terwijl hij dat brult, probeert hij zich zo snel mogelijk uit de voeten te maken. Makkelijker gezegd dan gedaan! Keer op keer vouwt zijn lange lijf dubbel. Hij niest zo hard dat alle konijnen wegvluchten in het diepst van hun konijnenholen.

'Aa... aaaaaa... aaaaaaaaaatsjoem!'

De heksen kijken hem proestend na. Zelfs als hij al honderden meters ver is, horen ze hem nog altijd als een wildeman te keer gaan.

'Die zien we hier nooit meer terug!' weet Trezebelle.

'Hij zal nu zelf wel een frisse neus hebben!' grapt Sybille die intussen ook op het platform is gekomen en genietend toekijkt. 'Met al dat snot dat in het rond vliegt ...'

'Dat komt ervan als je je neus steekt in zaken die je niks aangaan!' vindt Roos Netelroos.

'In een zak niespoeder bijvoorbeeld,' maakt Lelijke Lura het grapje kompleet.

Maar ondanks hun vreugde gaan ze niet via de glijbaan naar beneden. Geen van hen heeft zin om met haar hoofd vooruit in een zak niespoeder neer te ploffen.